Fous de Foot !

Sandra Lebrun et Loïc Audrain

hachette
ÉDUCATION

Avec Sami et Julie, lire est un plaisir !

Avant de lire l'histoire

- Parlez ensemble du titre et de l'illustration en couverture, afin de préparer la compréhension globale de l'histoire.
- Vous pouvez, dans un premier temps, lire l'histoire en entier à votre enfant, pour qu'ensuite il la lise seul.
- Si besoin, proposez les activités de préparation à la lecture aux pages 4 et 5. Elles permettront de déchiffrer les mots les plus difficiles.

Après avoir lu l'histoire

- Parlez ensemble de l'histoire en posant les questions de la page 30 : « As-tu bien compris l'histoire ? »
- Vous pouvez aussi parler ensemble de ses réactions, de son avis, en vous appuyant sur les questions de la page 31 : « Et toi, qu'en penses-tu ? »

Bonne lecture !

Couverture : Mélissa Chalot
Maquette intérieure : Mélissa Chalot
Mise en pages : Typo-Virgule
Illustrations : Thérèse Bonté
Édition : Laurence Lesbre
Relecture ortho-typo : Jean-Pierre Leblan

ISBN : 978-2-01-701562-8
© Hachette Livre 2018.

Achevé d'imprimer en Février 2020 en Espagne par Unigraf
Dépôt légal : Mai 2018 - Édition 08 - 39/4602/3

Les personnages de l'histoire

1 Montre le dessin quand tu entends le son (ou) comme dans f<u>oo</u>t.

2 Montre le dessin quand tu entends le son (ion) comme dans act<u>ion</u>.

3 Lis ces syllabes.

| soi | gran | quillé | droi | leur | jou |

| eur | gri | zou | seille | aise | ymne |

4 Lis ces mots-outils.

| c'est | grand | toute | quelle | sûr |

| leur | plein | dans | peine | notre |

5 Lis les mots de l'histoire.

match   terrain   La Marseillaise

équipe   but   supporter

Ce soir, c'est le grand match !

Toute la famille est réunie pour ce moment historique. Maman a maquillé Sami et Julie ; Papa a mis une perruque, et Tobi a droit à un joli nœud autour du cou. De quelle couleur ?

Bleu, blanc, rouge, bien sûr !

– Dépêchez-vous ! Le match va commencer, annonce Sami.

Les deux équipes entrent sur le terrain. Quel instant d'émotion ! Julie et Sami reconnaissent leurs joueurs préférés.

– Là, là ! C'est Grizou, s'exclame Julie.

– Je suis sûr qu'il va marquer plein de buts, pronostique Sami.

La Marseillaise retentit bientôt dans le poste de télévision.

C'est le moment préféré de Maman : les hymnes !

Elle adore chanter *La Marseillaise* à tue-tête...

À peine cinq minutes de jeu,
et l'équipe adverse marque
un premier but.

– Mais ce n'est pas possible !
se lamente Sami.

– Notre équipe joue comme
des chèvres ! s'énerve Julie.
– J'en ai marre, je ne veux plus
voir ce match ! dit Sami
effondré.

À la mi-temps, la France perd 1 à 0. Sami est désespéré. Il pensait vraiment que son équipe allait gagner.

– Tu dois soutenir ton équipe même quand elle perd, explique Maman. Un supporter doit être là dans les bons moments, mais aussi dans les mauvais.

– Tu as raison ! acquiesce Sami en se relevant. Je ne vais pas abandonner Grizou !

De retour sur le terrain,

les Bleus ont plus d'entrain.

– L'entraîneur les a réveillés,

remarque Papa.

Sami et Julie reprennent

confiance :

– Bravo ! Belle passe !

– Pousse-toi, Tobi ! Tu...

Julie n'a pas le temps de finir

sa phrase que le commentateur

hurle dans le poste : « Buuuuut

pour la France signé Grizou ! »

– Je vous l'avais bien dit,

s'exclame Sami. C'est le meilleur !

1 partout : merci, Grizou !

– On n'a rien vu ! Merci, Tobi,

ironise Papi.

Égalité : le match n'est pas encore gagné et pourtant aucune équipe n'ose attaquer.

– Je vais chercher de l'eau,
quelqu'un veut quelque chose ?
demande Papi.

– On veut des buts ! plaisante
Sami.

– Attention ! Regardez : il y a un corner pour la France, lance Sami.

Centre... Tête... Et but ! 2 à 1 pour nous ! Attiré par le bruit, Papi accourt.

– Ah, zut ! soupire-t-il. Ce match est incroyable : je ne vois jamais les buts...

– Le match est bientôt fini ?

demande Mamie.

– Ça y est, Mamie : on a gagné !

répond Julie, les larmes

aux yeux.

– On est les champions ! hurle

Sami.

Quelle ambiance !

Maman ne résiste pas :

– Et si nous sortions, nous

aussi, ce soir ?

– Oh, oui ! s'exclament Sami

et Julie.

C'est le moment que tout

le monde préfère : la fête

après la victoire.

26

27

« C'est le plus beau jour
de ma vie ! » se dit Sami.

As-tu bien compris l'histoire ?

1 **Quel est le joueur préféré de Sami ?**

2 Sais-tu ce qu'est un hymne ?

3 **Pourquoi Sami et Julie ne voient pas le premier but ?**

4 Quel est le score à la première mi-temps ?

MATCH

5 **Qui gagne le match ?**

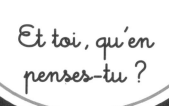

Et toi, qu'en penses-tu ?

Est-ce que tu aimes jouer au foot ?

As-tu déjà vu un match de foot ? À la télé ou dans un stade ?

Connais-tu les paroles de la Marseillaise ?

Quelle est ton équipe de foot préférée ?

À ton avis, est-ce important de soutenir son équipe dans les bons et dans les mauvais moments ?

As-tu lu tous les Sami et Julie ?

Niveau 1
Début de CP

Niveau 2
Milieu de CP

Niveau 3
Fin de CP

Niveau CE1